Adele Sansone wurde in Wien geboren. Seit 1995 schreibt und illustriert sie Kinder- und Jugendbücher. Für das Jugendbuch »Hassan« erhielt Adele Sansone den Jugendliteraturpreis des Landes Steiermark. In Ihren Texten setzt sie sich auf humorvolle Art für ein Miteinander, die Förderung von Toleranz und Achtung ein. Sie lebt mit ihrer Familie in Axams, Österreich.

Anke Faust wurde in Brilon geboren. Schon während ihres Designstudiums an der FH Mainz, mit dem Schwerpunkt Illustration, arbeitete sie freiberuflich als Kinderbuchillustratorin für verschiedene Verlage. 2004 wurde Anke Faust für ihre Illustrationen des Buches »Ein Schaf fürs Leben« mit dem Deutschen Jugendliteraturpreis ausgezeichnet. Heute lebt und arbeitet sie in der Nähe von Mainz.

Lithographie: lithotronic media gmbh, Deutschland
Druck und Bindung: Livonia Print, Riga, Lettland
ISBN 978-3-314-01742-1
5. Auflage 2020

www.nord-sued.com
Bei Fragen, Wünschen oder Anregungen schreiben Sie bitte an:
info@nord-sued.com

Der NordSüd Verlag wird vom Bundesamt für Kultur mit einem Strukturbeitrag für die Jahre 2016–2020 unterstützt.

Adele Sansone · Anke Faust

DAS GRÜNE KÜKEN

Nord
Süd

In dem gemütlichen Stall eines Bauernhauses lebten der Hund, der Hahn, die vier Hennen, ein paar Küken und ein sehr netter Gänserich.

Der Gänserich liebte es, mit den kleinen Küken Fangen oder Verstecken zu spielen, und er begleitete sie zum Teich oder schnatterte ihnen etwas vor.

Aber der Gänserich war nicht ganz glücklich.
Er hatte einen geheimen Wunsch: Er wünschte sich ein eigenes Kind, ein flaumiges, kleines Küken!

Als die Hennen im Frühjahr zu brüten begannen, wurde dem Gänserich ganz weh ums Herz.
»Ich will versuchen, mir meinen Wunsch zu erfüllen!«, dachte er.
So ging der nette Gänserich zum Nest der Braunhenne.
Er verbeugte sich elegant vor ihr und sagte:
»Guten Tag, liebe Braunhenne! Würdest du mir bitte eines deiner Eier schenken? Ich möchte so gerne selbst ein Küken ausbrüten!«
»KWOOOCK?« Als die Braunhenne das hörte, musste sie so laut gackern, dass sie fast aus dem Nest fiel.
Traurig watschelte der Gänserich davon.

Doch am nächsten Morgen sagte der Gänserich zu sich:
»Ich darf nicht aufgeben! Ich muss versuchen, mir meinen Wunsch zu erfüllen!«

Eier a
Freilan

Diesmal ging der Gänserich zum Nest der Weißhenne,
der Schwarzhenne und der Fleckhenne.
Elegant verbeugte er sich vor jeder Henne und sagte:
»Würdest du mir bitte eines deiner Eier schenken?
Ich möchte so gerne selbst ein Küken ausbrüten!«

»KWOOOCK, KWOOOCK, KWOOOCK?«
Als die Hennen das hörten, schimpften sie so laut,
dass sie fast aus dem Nest fielen.
Traurig watschelte der Gänserich davon.

Er setzte sich hinter die Scheune und war unglücklich.
Da kam der Hund angesprungen: »WUFF, WUFF!«,
bellte er aufgeregt.
»Ich habe gehört, du suchst ein Ei!
Komm schnell mit, ich habe eines gefunden!«
Der Hund führte den Gänserich an eine Stelle am Waldrand.

Dort lag ein Ei.
Ein Riesenei!

»Ich habe es beim Knochenvergraben gefunden!«, erzählte der Hund.
»Es sieht ein bisschen alt aus, und es riecht auch etwas sonderbar, aber vielleicht kannst du es trotzdem noch ausbrüten!«
»Oh, danke, danke!«, schnatterte der Gänserich glücklich.

In Windeseile baute er ein Nest, kletterte auf das Ei und brütete. Dort saß er nun, Tag für Tag, und träumte von seinem Gänsekind. Wie er es füttern und putzen und in den Schlaf singen würde.

Eines Morgens hörte der Gänserich ein leises Knacken.
Das Ei hatte einen winzigen Sprung.
Das Loch im Ei wurde größer, und ein klitzekleiner Schnabel kam zum Vorschein.
Oder war das gar kein Schnabel?

Und dann machte es: »KRACKS!«,
und das Küken schlüpfte aus!

Es war ganz grün.
Es hatte wunderschöne, glitzernde Schuppen.
Und einen langen Schwanz hatte es auch.
Das Küken beäugte den Gänserich,
der Gänserich das Küken.

»Mama?«, piepste das Küken fragend.
»Äh, Papa«, erwiderte der Gänserich etwas verlegen.
»Papa!«, piepste das Küken.

»Es ist da! Es ist da!«, rief der Gänserich überglücklich.
»Es hat Papa zu mir gesagt!«
Der Hund rannte verwirrt herum.
So ein Küken hatte er noch nie gesehen.
»Ist mein Baby nicht wunderschön?«, fragte der Gänserich.
»Doch!«, sagte der Hund. »Es ist so schön grün.«

»Papa!«, piepste das Küken wieder.
»Papa, Hunger!«
Der Gänserich fütterte das Junge mit Würmern, Schnecken und allen Leckerbissen, die er nur finden konnte, und das Küken wuchs und wuchs.

Eines Morgens sagte der Gänserich feierlich:
»So, mein Kind, jetzt bist du groß genug.
Jetzt gehen wir zusammen zum Bauernhof.
Die Tiere werden staunen!«

Und wie sie staunten!
Der Gänserich hatte tatsächlich ein Küken bekommen!
Und was für ein Küken – so eines hatten auch sie noch nie gesehen!

Einige Wochen später durfte das grüne Küken schon alleine auf dem Hof spielen.
Da hörte es, wie die anderen Küken und Hühner gackerten.
Und sogar der Hahn krähte:
»Du bist ja gar kein Gänseküken!«

»Bin ich doch!«
»Bist du nicht! Schau dich doch an! Du hast keine Federn, du hast keinen Schnabel, und grün bist du auch noch. Der Gänserich kann gar nicht dein Papa sein!«

Da fing das grüne Küken an zu weinen.
Schluchzend lief es zum Teich hinunter und schaute ins Wasser.

Die Hühnerküken hatten Recht.
Es hatte keine Federn, keinen Schnabel, und es war grün.
Es sah dem Gänserich kein bisschen ähnlich.
»Ich muss meinen richtigen Papa finden!«, dachte das Küken.

Auf einem Stein am Ufer saß ein dicker, grüner Frosch.
»Du bist so grün wie ich!«, rief das Küken glücklich.
»Bist du mein richtiger Papa?«
»QUOACK! Tut mir leid, das bin ich nicht«, sagte der Frosch und sprang davon.
»Auch nicht mein Papa!«, meinte das Küken.

Dort drüben im Teich schwamm ein Fisch mit leuchtend grünen Schuppen!
»Bist du mein richtiger Papa?«, rief das Küken.
»PLITSCH!«, machte der Fisch. »Ich habe damit nichts zu tun«, sprach er und schwamm fort.
»Oh nein, wieder nicht!«, schluchzte das Küken.

Und dann sah das Küken die grüne Eidechse mit Glitzerschuppen und einem langen Schwanz.
»DU! Du siehst genauso aus wie ich! Du musst mein richtiger Papa sein!«
»ZISCH«, machte die Eidechse, »bin ich nicht!«
»Bist du doch!«
»Bin ich nicht!«, sagte die Eidechse. »So ein Tier wie dich habe ich noch nie gesehen!«

»Aber ich bin HIER!«, rief das grüne Küken verzweifelt.
»Ich muss doch irgendjemandem ähnlich sehen! Wer ist mein richtiger Papa?«
»Ich bin es sicher nicht«, sagte die Eidechse und schlich weiter.

Das grüne Küken war wieder allein.
So viel es auch suchte, es war kein grüner Papa
zu finden.

Traurig saß es unter einem Baum.
Die Sonne ging unter.
Das Küken war hungrig.
Wer würde ihm etwas zu essen geben?
Das Küken war müde.
Wer würde ihm ein weiches Nest bauen?
Das Küken war einsam.
Wer würde es lieb haben?

Plötzlich sprang das grüne Küken auf und fing an zu laufen.
Vorbei an der Eidechse, die ihre Schuppen in der Sonne glitzern ließ,

vorbei am Teich mit dem Fisch, der auch nicht sein Papa war,

vorbei am Frosch, der schon wieder bequem auf seinem Stein Platz genommen hatte.

Es lief schneller und schneller.
Jetzt wusste es, wo sein richtiger Vater zu finden war.

»Ach«, flüsterte das grüne Küken zufrieden, »ich hab dich so lieb!« Und es kuschelte sein Köpfchen unter die warmen Flügel des glücklichen Gänserichs.